© Flammarion, 2010
Éditions Flammarion — 87, quai Panhard-et-Levassor — 75647 Paris Cedex 13
www.editions.flammarion.com
ISBN : 978-2-0812-3021-7 — Dépôt légal : janvier 2010
L.01EJDN000490.C002
Imprimé en Malaisie en juin 2010 par Tien Wah Press
Loi n°49-956 du 16 juillet 1949 sur les publications destinées à la jeunesse.

Comptines
de France
pour les petits

illustrées par
Hervé Le Goff

Père Castor ▪ Flammarion

Sommaire

Prom'nons-nous dans les bois...................... 8

Les petits doigts.......................... 10

Un p'tit pouce qui marche 11

Dodo, l'enfant do 12

Quand trois poules... 14

Le grand cerf............................ 15

Beau front 17

Le tour de la maison........................ 17

Coccinelle, demoiselle 18

Do, ré, mi, la perdrix 19

À cheval, gendarme 20

Pomme de reinette........................ 22

La barbichette........................ 23

Tourne, tourne, petit moulin 24

Toc, toc, toc, monsieur Pouce.................... 25

Bateau, ciseau........................ 26

Polichinelle........................ 27

Mon petit lapin 28

Il pleut, il mouille 30

Petit escargot 31

Am stram gram 32

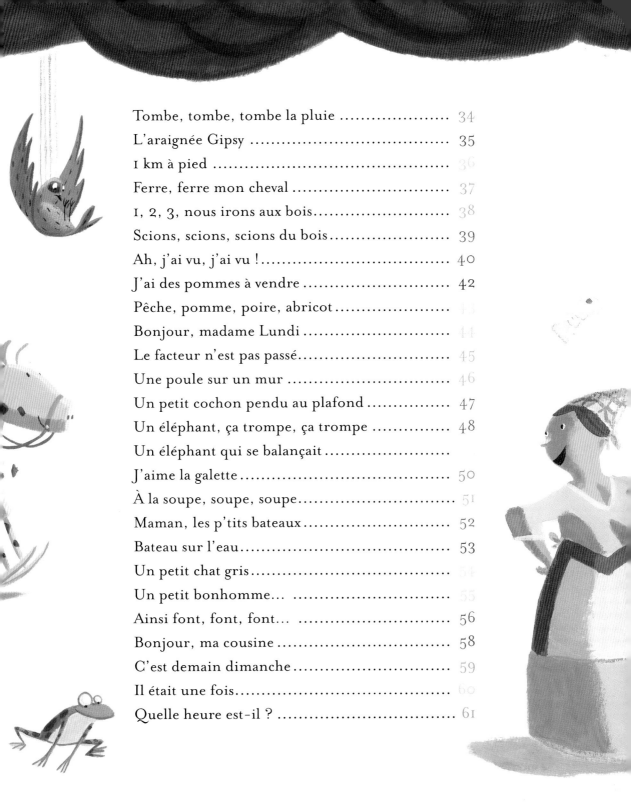

Tombe, tombe, tombe la pluie 34

L'araignée Gipsy 35

1 km à pied 36

Ferre, ferre mon cheval 37

1, 2, 3, nous irons aux bois................... 38

Scions, scions, scions du bois................. 39

Ah, j'ai vu, j'ai vu !......................... 40

J'ai des pommes à vendre 42

Pêche, pomme, poire, abricot.................. 43

Bonjour, madame Lundi 44

Le facteur n'est pas passé..................... 45

Une poule sur un mur 46

Un petit cochon pendu au plafond 47

Un éléphant, ça trompe, ça trompe 48

Un éléphant qui se balançait ....

J'aime la galette 50

À la soupe, soupe, soupe...................... 51

Maman, les p'tits bateaux..................... 52

Bateau sur l'eau............................. 53

Un petit chat gris............................ 54

Un petit bonhomme... 55

Ainsi font, font, font... 56

Bonjour, ma cousine 58

C'est demain dimanche 59

Il était une fois.............................. 60

Quelle heure est-il ? 61

Prom'nons-nous dans les bois

Prom'nons-nous dans les bois
Pendant que le loup n'y est pas *(bis)*
Si le loup y'était
Il nous mangerait,
Mais comm' il n'y est pas
Il nous mang'ra pas.
Loup, y'es-tu ?
Loup, entends-tu ?
Loup, que fais-tu ?

– Je mets ma chemise !
– Je mets ma culotte !
– Je mets ma veste !
– Je mets mes chaussettes !
– Je mets mes bottes !
– Je mets mon chapeau !
– Je mets mes lunettes !
– Je mets mon fusil !
– J'arrive !

Les petits doigts

Le premier, c'est le pouce,
C'est pour le mettre dans la bouche.
Le deuxième, c'est l'index,
Pour pousser sur la sonnette.
Le troisième, le majeur,
Le plus grand, c'est la terreur.
Le quatrième, l'annulaire,
Pour les bagues, on le préfère.
Le cinquième, l'auriculaire,
Le plus petit, mais le plus fier !

Un p'tit pouce qui marche

Un p'tit pouce qui marche
Un p'tit pouce qui marche
Un p'tit pouce qui marche
Et ça suffit pour s'amuser.

Deux p'tits pouces qui marchent…
Une p'tite main qui marche…
Deux p'tites mains qui marchent…
Un p'tit bras qui marche…
Deux p'tits bras qui marchent…
Un p'tit pied qui marche…
Deux p'tits pieds qui marchent…

Dodo, l'enfant do

Dodo, l'enfant do,
L'enfant dormira bien vite,
Dodo, l'enfant do,
L'enfant dormira bientôt.

Dodo, l'enfant do,
L'enfant dormira bien vite…

Quand trois poules...

Quand trois poules s'en vont aux champs,
La première s'en va devant.
La seconde suit la première,
La troisième va derrière.
Quand trois poules s'en vont aux champs,
La première va devant.

Le grand cerf

Dans sa maison, le grand cerf
Regardait par la fenêtre
Un lapin venir à lui
Et frapper à l'huis :
— Cerf, cerf, ouvre-moi,
Ou le chasseur me tuera !

— Lapin, lapin, entre et viens,
Me serrer la main.

Dans sa maison, le grand cerf
Regardait par la fenêtre…

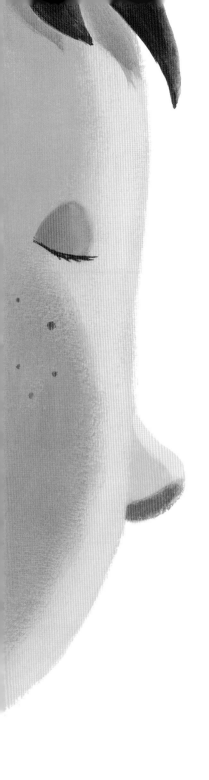

Beau front

Beau front
Beaux yeux
Nez cancan
Bouche d'argent
Menton fleuri
Guiliguili !

Le tour de la maison

Je fais le tour de ma maison
Je descends les escaliers
Je tourne la clef
Je ferme les volets
Je ferme les fenêtres
Et maintenant :
Bonne nuit !

Coccinelle, demoiselle

Coccinelle, demoiselle,
Bête à Bon Dieu,
Coccinelle, demoiselle,
Vole vers les cieux.
Petit point blanc,
Elle attend.
Petit point rouge,
Elle bouge.
Petit point noir,
Coccinelle, au revoir.

Do, ré, mi, la perdrix

Do, ré, mi, la perdrix
Mi, fa, sol, elle s'envole
Fa, mi, ré, dans un pré
Mi, ré, do, tombe dans l'eau.

À cheval, gendarme

À cheval, gendarme,
Au trot, bourguignon,
Allons à la ville,
Comme les autres y vont.

Les dames y vont
Au pas, au pas, au pas.
Les demoiselles y vont
Au trot, au trot, au trot.
Les messieurs y vont
Au galop, au galop, au galop !

Pomme de reinette

Pomme de reinette et pomme d'api,
Tapis, tapis rouge.
Pomme de reinette et pomme d'api,
Tapis, tapis gris.

Cache ton poing derrière ton dos
Ou j'te donne un coup de marteau.

La barbichette

Je te tiens
Tu me tiens
Par la barbichette
Le premier
De nous deux
Qui rira
Aura une tapette !

Tourne, tourne, petit moulin

Tourne, tourne, petit moulin,
Frappent, frappent, petites mains *(bis)*
Petit moulin a bien tourné
Petites mains ont bien frappé. *(bis)*

24

Toc, toc, toc, monsieur Pouce

— Toc, toc, toc, monsieur Pouce, es-tu là ?
— Chut ! je dors.
— Toc, toc, toc, monsieur Pouce, es-tu là ?
— Chut ! je dors.
— Toc, toc, toc, monsieur Pouce, es-tu là ?
— Oui ! je sors.

Bateau, ciseau

Bateau, ciseau,
La rivière, la rivière,
Bateau, ciseau,
La rivière au bord de l'eau.

La rivière a débordé
Dans le jardin de m'sieur le curé.
Qui c'est la marraine ?
C'est une hirondelle.
Qui c'est le parrain ?
C'est un gros lapin.

Polichinelle

Polichinelle
Monte à l'échelle
Un peu plus haut
Se casse le dos
Un peu plus bas
Se casse le bras
Casse un barreau
Et PLOUF dans l'eau !

Polichinelle
Monte à l'échelle…

Mon petit lapin...

Mon petit lapin
S'est sauvé dans le jardin.
— Cherchez moi coucou, coucou,
Je suis caché dans un chou.

Remuant son nez
Il se moque du fermier.

— Cherchez moi coucou, coucou,
Je suis caché sous un chou.

Tirant ses moustaches
Le fermier passe et repasse.
Mais il ne voit rien du tout :
Le lapin mange le chou.

Il pleut, il mouille

Il pleut, il mouille,
C'est la fête à la grenouille,
Il pleut, il fait beau temps,
C'est la fête au paysan.

Il pleut, il mouille,
C'est la fête à la grenouille…

Petit escargot

Petit escargot
Porte sur son dos
Sa maisonnette ;
Aussitôt qu'il pleut,
Il est tout heureux
Il sort sa tête !

Petit écureuil
Porte sur le seuil
De sa maisonnette,
Des glands, des marrons,
Des p'tits champignons
Et des noisettes !

Petite fourmi
A dans sa galerie
Sa maisonnette ;
Elle travaille le jour,
Elle travaille la nuit,
Rien ne l'arrête !

Petit hérisson
Viens dans ma maison
Petite bête
Je te nourrirai,
Je te chaufferai,
On f'ra la fête !

Am stram gram

Am stram gram
Pic et pic et colégram
Bour et bour et ratatam
Am stram gram
Pic, dam !

Am stram gram
Pic et pic et colégram…

Tombe, tombe, tombe la pluie

Tombe, tombe, tombe la pluie
Tout le monde est à l'abri.
Y'a que mon p'tit frère
Qu'est sous la gouttière
Et pêche du poisson
Pour toute la maison.

L'araignée Gipsy

L'araignée Gipsy
Monte à la gouttière.
Tiens, voilà la pluie !
Gipsy tombe par terre.
Mais le soleil a chassé la pluie.

L'araignée Gipsy
Monte à la gouttière…

1 km à pied

1 km à pied, ça use, ça use,
1 km à pied, ça use les souliers.

2 km à pied, ça use, ça use,
2 km à pied, ça use les souliers…

Ferre, ferre mon cheval

Ferre, ferre mon cheval,
Pour aller à Montréal.
Ferre, ferre mon poulain,
Pour aller à Saint-Martin.
Ferre, ferre ma jument,
Pour aller à Orléans.

1, 2, 3, nous irons aux bois

1, 2, 3, nous irons aux bois
4, 5, 6, cueillir des cerises
7, 8, 9, dans un panier neuf
10, 11, 12, elles seront toutes rouges !

Scions, scions, scions du bois

Scions, scions, scions du bois,
Pour la mère, pour la mère,
Scions, scions, scions du bois,
Pour la mère Nicolas !

Scions, scions, scions du bois,
Pour la mère, pour la mère…

Ah j'ai vu, j'ai vu !

— Ah j'ai vu, j'ai vu !
— Compère, qu'as-tu vu ?
— J'ai vu une vache
Qui dansait sur la glace
À la Saint Jean d'été.
— Compère, vous mentez !

– Ah j'ai vu, j'ai vu !
– Compère, qu'as-tu vu ?
– J'ai vu une grenouille
Qui faisait la patrouille
Le sabre au côté.
– Compère, vous mentez !

– Ah j'ai vu, j'ai vu !
– Compère, qu'as-tu vu ?
– J'ai vu un loup
Qui vendait des choux
Sur la place Labourée.
– Compère, vous mentez !

– Ah j'ai vu, j'ai vu !
– Compère, qu'as-tu vu ?
– J'ai vu une anguille
Qui coiffait sa fille
Pour s'aller marier.
– Compère, vous mentez !

J'ai des pommes à vendre

J'ai des pommes à vendre,
Des rouges et des blanches,
À 4 sous, à 5 sous,
Mademoiselle,
Retournez-vous.

Pêche, pomme, poire, abricot

Un petit singe venu d'Italie,
La bouche pleine de macaronis,
Pêche, pomme, poire, abricot,
Y'en a une, y'en a une,
Pêche, pomme, poire, abricot,
Y'en a une de trop.
C'est l'abricot qui est en trop,
M'a appris Margaux.

Bonjour, madame Lundi

— Bonjour, madame Lundi,
Comment va madame Mardi ?
— Très bien, madame Mercredi.
Et madame Jeudi ?
— Dites à Vendredi,
Que je partirai samedi
Pour revenir dimanche.

Le facteur n'est pas passé

Le facteur n'est pas passé,
Il ne passera jamais.
Lundi
Mardi
Mercredi
Jeudi
Vendredi
Samedi
Dimanche !

Le facteur n'est pas passé,
Il ne passera jamais…

Une poule sur un mur

Une poule sur un mur
Qui picote du pain dur
Picoti, picota
Lève la queue et puis s'en va.

Un petit cochon pendu au plafond

Un petit cochon
Pendu au plafond.
Tirez-lui le nez,
Il donn'ra du lait.
Tirez-lui la queue,
Il pondra des œufs.
Combien en voulez-vous ?

Un petit cochon
Pendu au plafond…

Un éléphant, ça trompe, ça trompe

Un éléphant, ça trompe, ça trompe,
Un éléphant, ça trompe énormément.
La peinture à l'huile,
C'est plus difficile,
Mais c'est bien plus beau
Que la peinture à l'eau.

Deux éléphants, ça trompe, ça trompe…

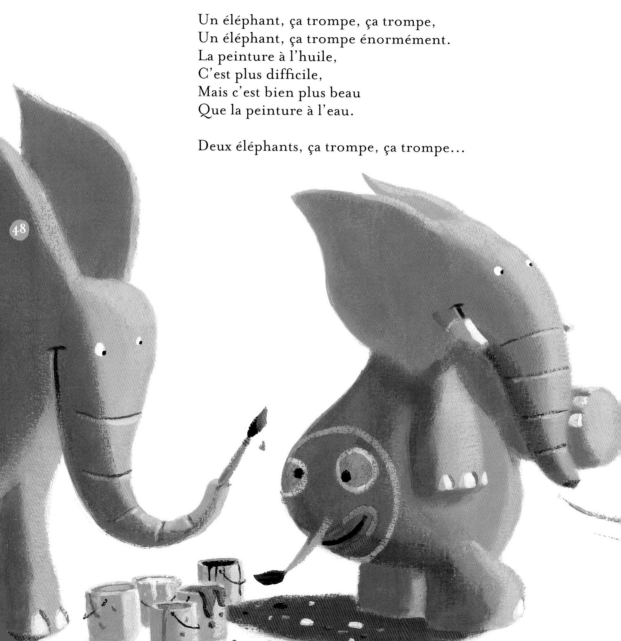

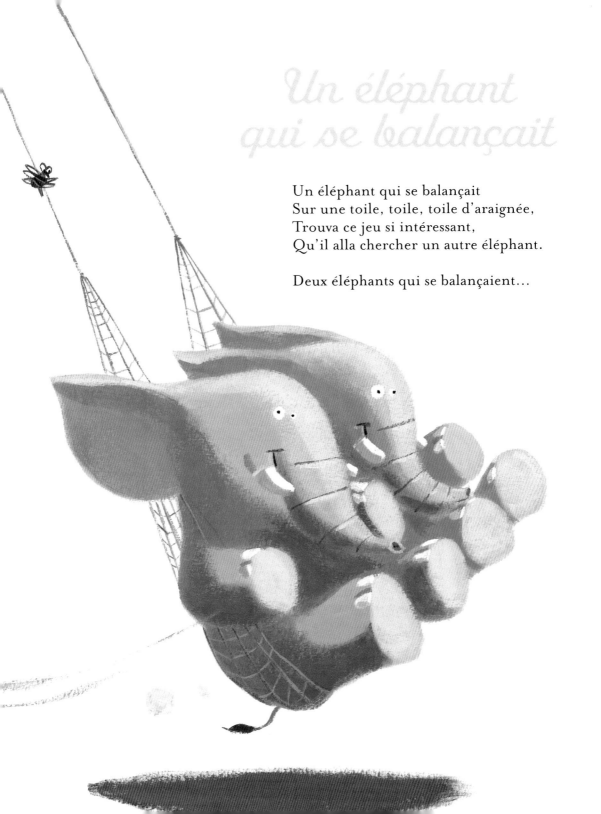

Un éléphant qui se balançait

Un éléphant qui se balançait
Sur une toile, toile, toile d'araignée,
Trouva ce jeu si intéressant,
Qu'il alla chercher un autre éléphant.

Deux éléphants qui se balançaient…

J'aime la galette

J'aime la galette,
Savez-vous comment ?
Quand elle est bien faite
Avec du beurre dedans.

Tra la la la la la la lère
Tra la la la la la la la la. *(bis)*

À la soupe, soupe, soupe

À la soupe, soupe, soupe
Au bouillon, yon, yon.
La soupe à l'oseille,
C'est pour les d'moiselles.
La soupe à l'oignon,
C'est pour les garçons.
La soupe aux lentilles,
C'est pour les p'tites filles.

Maman, les p'tits bateaux

— Maman, les p'tits bateaux
Qui vont sur l'eau
Ont-ils des jambes ?
— Mais oui, mon gros bêta,
S'ils n'en avaient pas,
Ils ne march'raient pas !

Allant droit devant eux,
Ils font le tour du monde,
Et comme la Terre est ronde,
Ils reviennent chez eux.

Bateau sur l'eau

Bateau, sur l'eau,
La rivière, la rivière.
Bateau, sur l'eau,
La rivière au bord de l'eau.

Un petit chat gris

Un petit chat gris
Qui mangeait du riz
Sur un tapis gris.
Sa maman lui dit :
– Ce n'est pas poli
De manger du riz
Sur un tapis gris.

Un petit bonhomme
assis sur une pomme

Un petit bonhomme assis sur une pomme,
La pomme dégringole,
Le petit bonhomme s'envole
Par-dessus le toit de l'école.

Ainsi font, font, font...

Ainsi font, font, font
Les petites marionnettes,
Ainsi font, font, font
Trois p'tits tours et puis s'en vont.

Les poings au côté,
Marionnettes, marionnettes,
Les poings au côté,
Marionnettes, sautez, sautez.

56

La taille cambrée,
Marionnettes, marionnettes,
La taille cambrée,
Marionnettes, dansez, dansez.

Puis le front penché,
Marionnettes, marionnettes,
Puis le front penché,
Marionnettes, saluez !

Bonjour, ma cousine

– Bonjour, ma cousine.
– Bonjour, mon cousin germain.
On m'a dit que vous m'aimiez,
Est-ce bien la vérité ?
– Je n'm'en soucie guère,
Je n'm'en soucie guère,
Passez par ici et moi par là.
Au r'voir, ma cousine et puis voilà !

C'est demain dimanche

C'est demain dimanche,
La fête à ma tante
Qui balaie sa chambre
Avec sa robe blanche.
Elle trouve une orange,
L'épluche et la mange,
Oh ! la grosse gourmande.

Il était une fois

Il était une fois
Une marchande de foie
Qui vendait du foie
Dans la ville de Foix,
Elle se dit : « Ma foi,
C'est la première fois
Et la dernière fois
Que je vends du foie
Dans la ville de Foix. »

Quelle heure est-il ?

– Quelle heure est-il,
madame Persil ?
– Sept heures et quart,
madame Placard.
– En êtes-vous sûre,
madame Chaussure ?
– Évidemment,
madame Piment.